U0483335

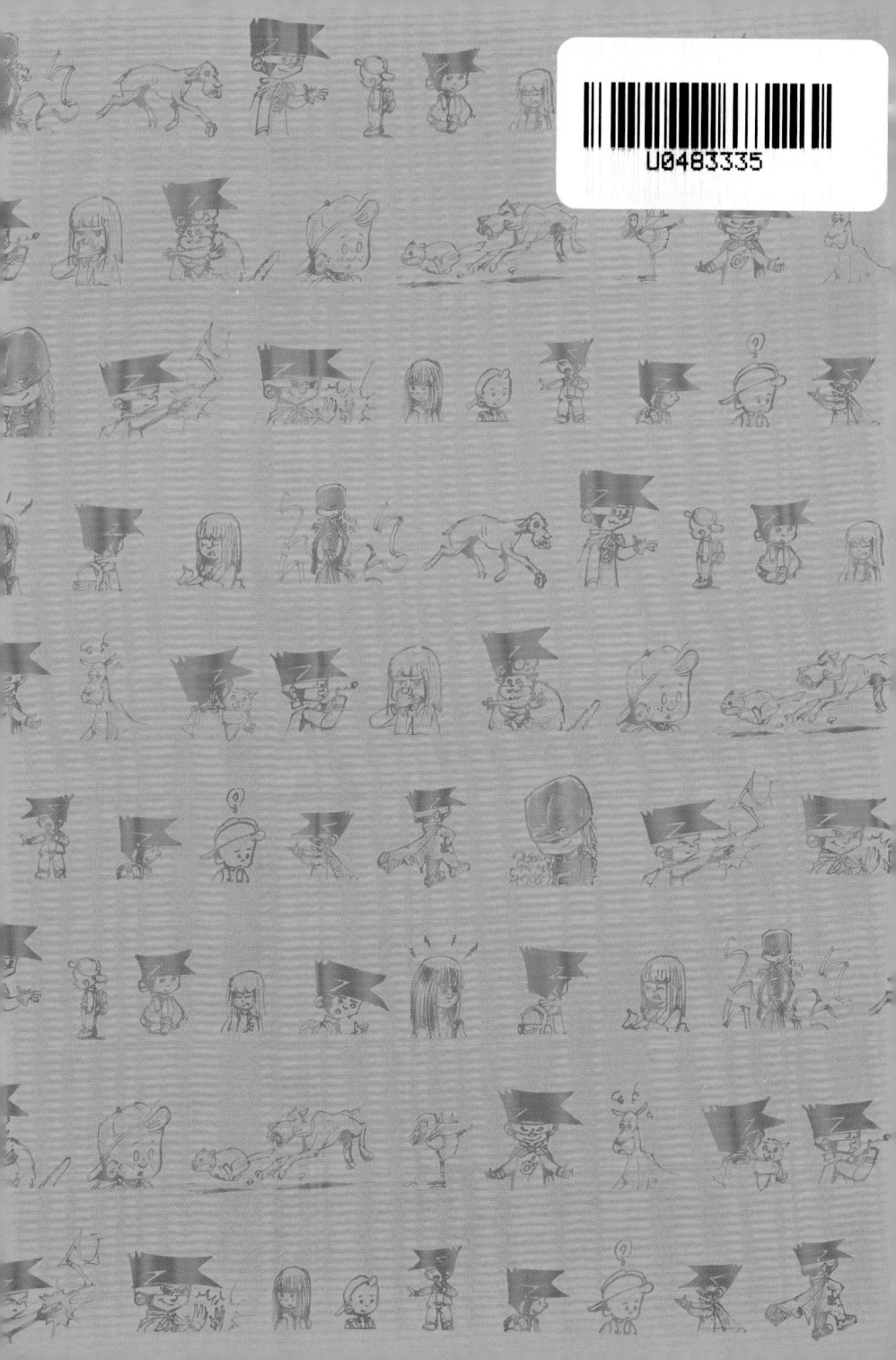

静电超人 ③

从天而降的女侠

[加拿大]阿兰·M.贝杰隆 / 著
[加拿大]桑帕尔 / 绘
余 轶 / 译

天津出版传媒集团
新蕾出版社

图书在版编目（CIP）数据

从天而降的女侠 /（加）阿兰·M.贝杰隆（Alain M. Bergeron）著；（加）桑帕尔（Sampar）绘；余轶译. —— 天津：新蕾出版社，2023.11
（静电超人；3）
ISBN 978-7-5307-7614-8

Ⅰ. ①从… Ⅱ. ①阿… ②桑… ③余… Ⅲ. ①儿童故事-图画故事-加拿大-现代 Ⅳ. ①I711.85

中国国家版本馆CIP数据核字(2023)第147885号

Original French title: Capitaine Static – L'étrange Miss Flissy
Author：Alain M. Bergeron
Illustrated by: Sampar
Copyright © 2009, Editions Québec Amérique inc.
Simplified Chinese translation copyright © 2023 by New Buds Publishing House （Tianjin) Limited Company arranged through Wubenshu Children's Books Agency.
ALL RIGHTS RESERVED
津图登字：02-2022-080

书　　名	：从天而降的女侠　CONGTIANERJIANG DE NÜXIA
出版发行	：天津出版传媒集团 　新蕾出版社
	http://www.newbuds.com.cn
地　　址	：天津市和平区西康路35号（300051）
出 版 人	：马玉秀
电　　话	：总编办（022）23332422 　发行部（022）23332351　23332679
传　　真	：（022）23332422
经　　销	：全国新华书店
印　　刷	：天津海顺印业包装有限公司
开　　本	：889mm×1194mm　1/32
字　　数	：35千字
印　　张	：2
版　　次	：2023年11月第1版　2023年11月第1次印刷
定　　价	：22.00元

著作权所有，请勿擅用本书制作各类出版物，违者必究。
如发现印、装质量问题，影响阅读，请与本社发行部联系调换。
地址：天津市和平区西康路35号
电话：（022）23332677　邮编：300051

谨以此书纪念"蓝精灵之父"——贝约。

静电⚡超人绝密档案

名字：查理·西马

真实身份：一名普通的小学四年级男孩

装备

- 尼龙材质的钢蓝色超人服
- 红色披风 
- 红色眼罩 
- 黄绿相间的羊毛拖鞋 

超能力：静电攻击

粉丝团：电粉团

温馨提示
！千万不要让静电超人碰衣物柔顺剂！！

超能力秘密来源：拖着脚走路

警告

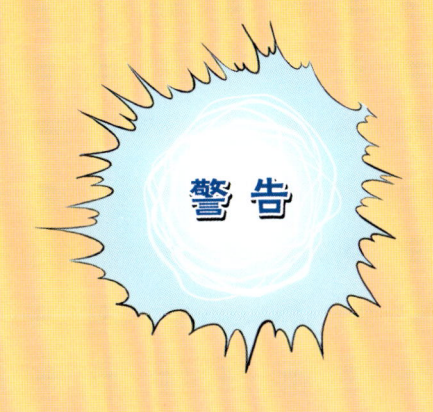

谁摩擦,谁起电!

——静电超人的格言

第1章

当你照镜子时,看着镜中独一无二的自己,是怎样的一种感受,你知道吗?

不,你当然不知道。

因为,世界上只有一个静电超人。

真的只有一个吗?这个问题,恐怕就连你们的超级英雄,有时也会搞错……

我和佩内洛普以及她的弟弟弗雷德，正快步走向体育中心。佩内洛普要去那里参加花样滑冰训练。我负责帮她拿冰鞋，冰鞋此刻就装在我的书包里。没错，我不仅是独一无二的静电超人，还是一个很体贴的朋友。我把超人服也装在书包里，以防万一……

> 教练最讨厌学员迟到了。

> 对不起，是我的错。

> 我不该在卫生间里照那么久的镜子，考虑我什么时候要开始刮胡子。

我们从图书馆那巨大的玻璃窗前经过时，突然，窗内的动静吸引了我的注意——图书馆里的书正莫名其妙地从书架上跌落。然而，现在是傍晚，图书馆早就关门了。

超级英雄的本能让我不由得停下脚步,想去一探究竟,完全把着急赶时间的佩内洛普抛在了脑后。

我很快找到了原因:是大乔一伙闯入了图书馆,正在肆意破坏!我周身的血液立刻沸腾了。

几分钟后，我就地变身为静电超人，身披披风，脚蹬拖鞋。

我查探到这些破坏者闯入图书馆的通道：地下室的一扇小窗被他们砸得稀巴烂。令我吃惊的是，大乔居然没被卡住！我轻松通过窗口，进入图书馆。满地的书本和他们的叫嚣声为我引路。

看到他们如此不尊重图书，我十分生气。我以后还要写《静电超人传》呢！他们会不会也这样对待我的书？

是时候出手了，毕竟漫画书是我的最爱！

在与这些书籍破坏者展开决斗之前，我首先得确保自己的电量充足。我把双脚在厚厚的地毯上蹭了又蹭，一阵熟悉的酥麻感逐渐向我袭来。周遭的噼啪声预示着我正在向自身引流静电。

噼啪 噼啪 噼啪

我准备好了，登场！

我从能源类图书书架后猛地跳了出来。

住手！

我的出现和叫喊声把大乔一伙吓了一跳。但是，他们的脸上居然浮现出一丝不易觉察的微笑。奇怪，难道他们料定我会来？

我喜欢这句格言。等以后有了专门为我设立的博物馆，我要把这句格言刻在最显眼的位置，或者印在我将要出版的"静电超人"系列丛书中每一本图书的内页上！

我正准备给他们来点儿静电，提醒一下他们，却不知从何处飘来一阵迷人的芳香。这是什么香味啊？它拨动了我的每一根嗅觉神经！真好闻啊！

我的身边闪过一阵紫色与白色相间的旋风。在场的每个人都惊呆了。

来者何人,是敌是友?答案取决于每个人的立场。我很快就会知晓……

原来是个女孩。

哇哦!真希望能和她成为朋友!

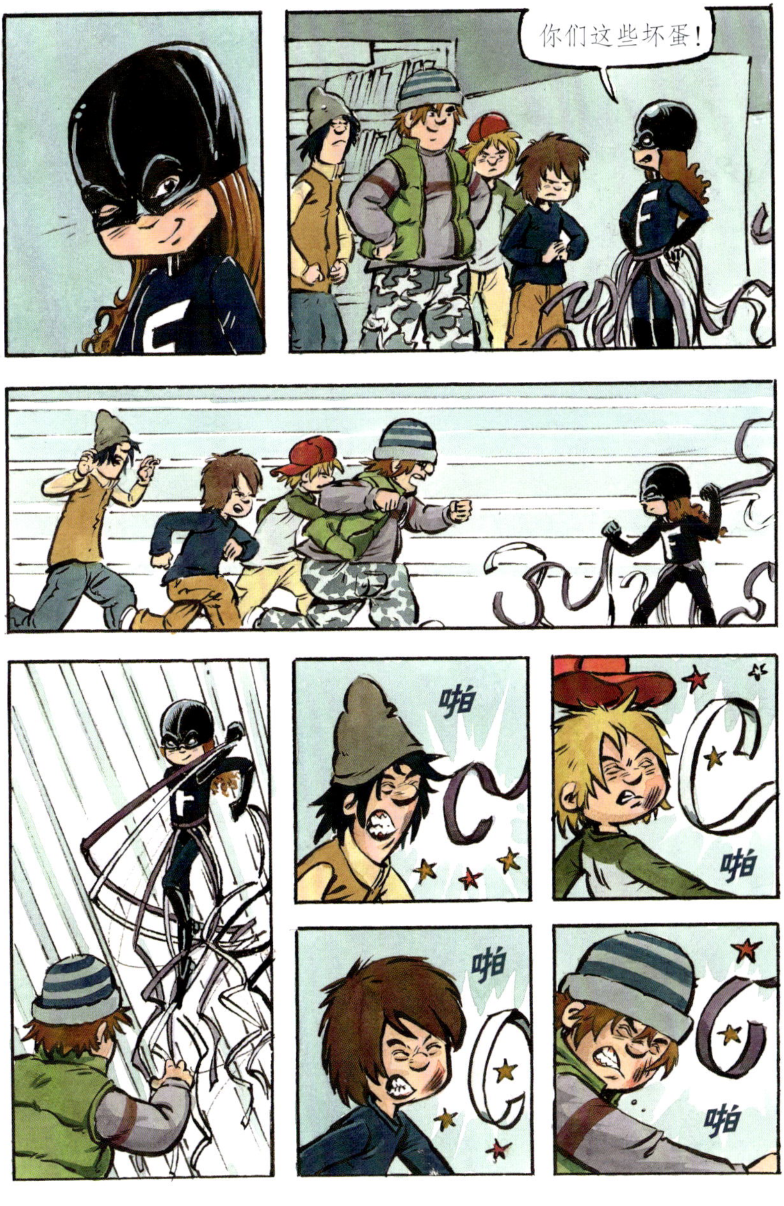
你们这些坏蛋！
啪
啪
啪
啪

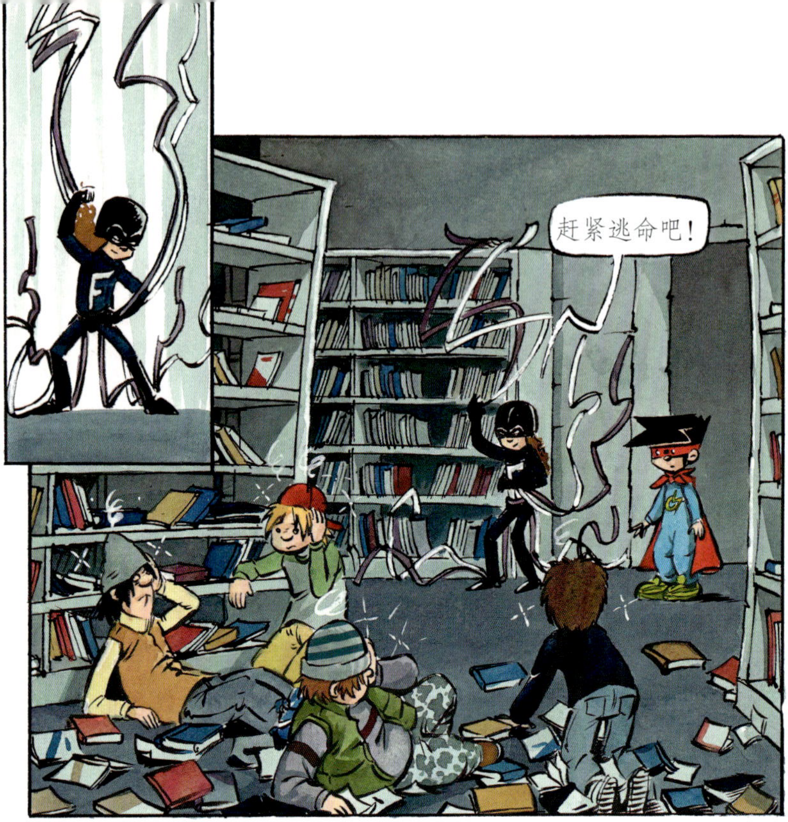
赶紧逃命吧！

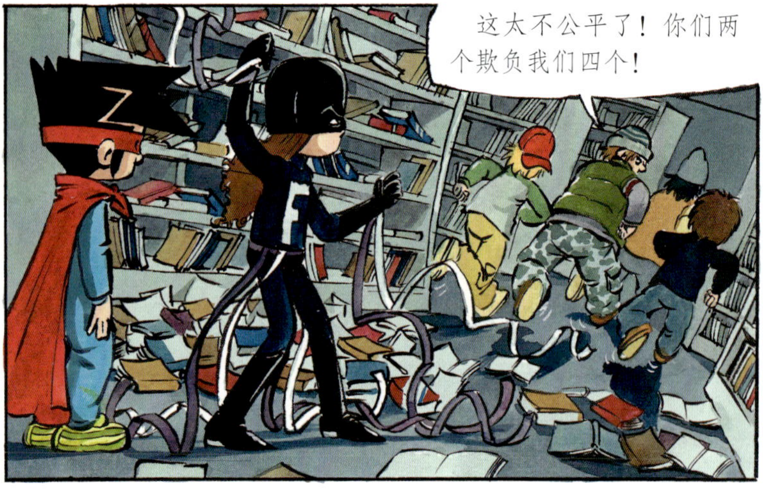
这太不公平了！你们两个欺负我们四个！

我们应该把他们交给警察，罚他们整理图书馆,让他们……
这股香气是……
野兰花与香草之吻。
我的心跳在加速，手心在冒汗，整个人变得手足无措。
你就是那个有名的静电超人?
呃……没错,我就是那个有名的静电超人。
我是弗丽斯小姐。
幸会!

第 2 章

弗丽斯小姐——一个多么美妙、多么富有异域风情的名字!正如她的香水一样迷人!不过,我总觉得她的香水里有一股熟悉的气息。

"野兰花与香草之吻。"她对我重复完这一句,便消失不见了。这句话仿佛有一股强大的魔力,尤其是从她的口中说出来时。我将超人服收进书包,重新做回查理·西马。我快步走向体育中心,希望还能赶上佩内洛普的滑冰训练。

此时,弗丽斯小姐的香水味似乎还萦绕在我身旁……

走进体育中心时,我忍不住低头看了一眼左手。弗丽斯小姐在离开前,把一根紫色飘带系在了我的左手腕上。

这是我们的"友谊手环"。

我意识到，自己将不再是这个城市唯一的超级英雄。只有她可以理解“与众不同”的感觉，就像我一样。

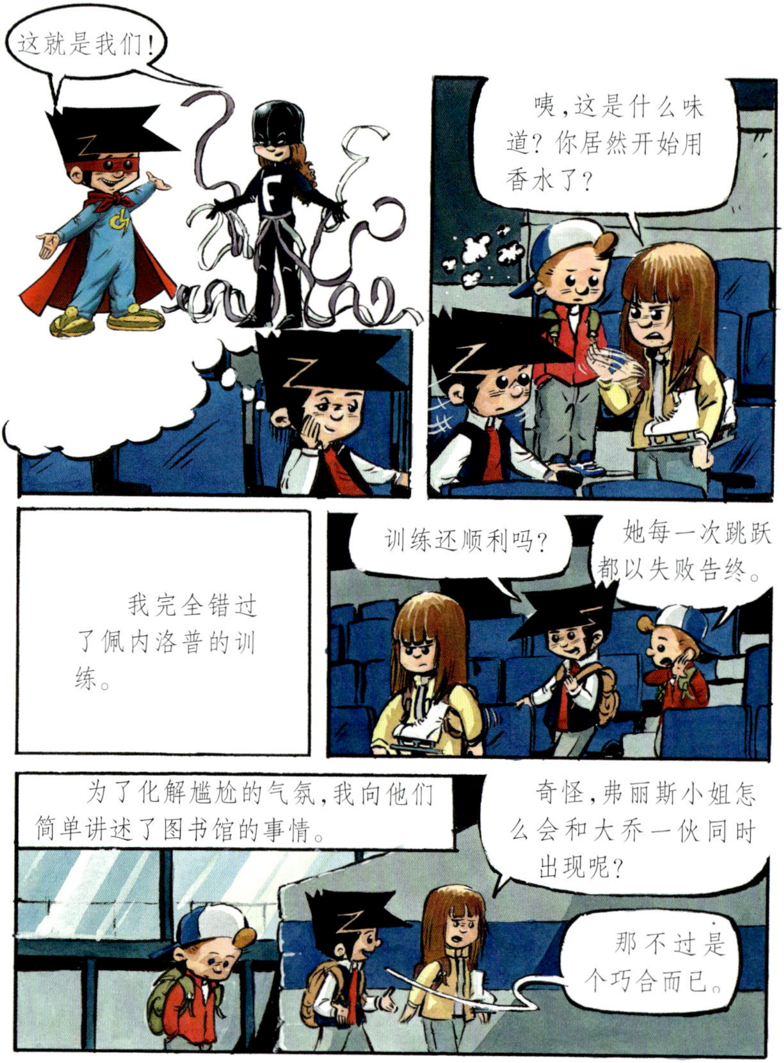

> 还有这股香水味，到底是什么味道呀？

> 哦，香水啊！是野兰花与……与……香草之吻。

> 我没听明白。是香草吧？

> 他说的是"香草之吻"。

> 奇怪，这个名字、这股香味，都好熟悉……

佩内洛普还在沉思，眼尖的弗雷德却发现了我试图藏进外套袖子里的友谊手环。

> 静电超人，这个手环也是你超人装扮的一部分吗？

我努力装出一副不屑一顾的样子。可是，让我当超人还行，当演员就差了点儿。

> 啊，这个呀？这是……

好吧，我的语文并不比我的演技更好。不过，英雄也有小缺点嘛，你说呢？

查理,你最好提高警惕。

闻闻

嫉妒!

第3章

昨晚我睡得很不好,所以今天精神不佳。实际上,我感到精疲力竭!就连常常在早餐时打瞌睡的姐姐,也显得比我更有精神!

我大口大口地吃完苹果味羊角面包,匆匆离开了餐桌。

我必须尽快让自己清醒过来,因为还有一个艰巨的任务在等着我……

有时,超级英雄也得收起自己的骄傲。为了不被别人认出来,我还特意戴上了墨镜。

没错,我此刻正在为罗埃尔夫人清扫她院子里的落叶。

在我刚成为超级英雄、正学着掌控静电那会儿,曾经和罗埃尔夫人的猫——牛顿三世有过一段小插曲。

罗埃尔夫人总爱带牛顿三世参加各种猫咪选美比赛。牛顿三世逮着机会就会从屋子里跑出来,那天也不例外,这总不能怪我吧?只能说它倒霉遇见了我,而我倒霉抚摸了它。当我的手刚触碰到牛顿三世时,它全身的毛就直立了起来。

接下来的事情可想而知。罗埃尔夫人花费了500美元为它做的造型全毁了,而它第二天还要参加一场重要的选美比赛。由于没钱补偿罗埃尔夫人的损失,我只好换一种补偿方式——为罗埃尔夫人打扫庭院,包括夏天除草、秋天扫叶、冬天铲雪……

罗埃尔夫人今天不在家。她的爱猫牛顿三世又不见了踪影，她正在小区里四处寻找呢！我可以稍微松一口气。

突然，街角传来一阵凶恶的犬吠声。听得出来，那是道妮尔的吠叫。道妮尔是一条可怕的大丹犬，腿长长的，就像一匹小马。它一定又是在追赶那位可怜的邮差。它跟大乔一样，属于流动性社会公害。

道妮尔，怎么能给一条恶狗起这个名字？！

我如果不想成为狗粮的话，就得立刻采取行动，给这条恶狗来点儿静电，让它消停消停。

汪汪汪

!?!
汪汪

不好！什么动静都没有！

换种方法试试！

不管用！我始终无法给自己充电！

　　我完全可以不顾牛顿三世，先自己逃命再说。但恶狗一定会把它撕成碎片。

就在这时,一股迷人的芬芳传来……绝对不是牛顿三世的气味。

啪嗒

嗷呜——嗷呜——

谢谢!

弗丽斯小姐在此……

一阵微风吹过,她浑身散发出野兰花与香草之吻的气息。我再次为之着迷,牛顿三世却不懂欣赏。

嘶！嘶！嘶！

喂，伙计，你悠着点儿！是她救了我们！

怎么，出故障了？

这个词用得好。不知怎么回事，没有热度，没有电光，就连一丝酥麻的电流感都没有。

你没法儿给自己充电？

是的。我该不会是失去超能力了吧？

也许吧……但是你没有失去我的友谊。

落叶还没扫完吗？
我付钱给你，可不是请你来和一身万圣节打扮的女孩聊天儿的。
你才没有付钱给我呢！

呀，好浓的衣物柔顺剂的味道！

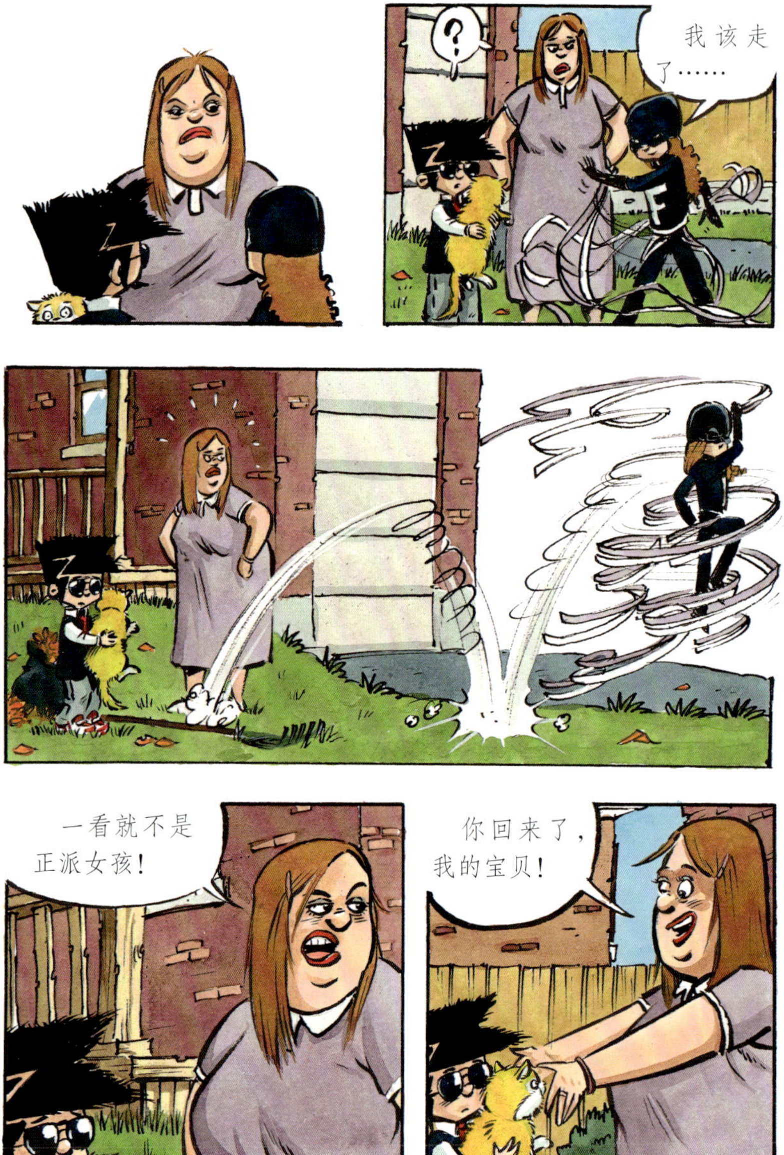
?
我该走了……
一看就不是正派女孩！
你回来了，我的宝贝！

你这个小坏蛋躲到哪儿去了?

你下午还得参加一场选美比赛。

今天真不是我的幸运日。

你知道这花了我多少钱吗,查理·西马?

唉,我计算了一下,这活儿,明年还得继续干……

第 4 章

难道我的传奇故事写到第 3 集就要结束了?这次静电故障是暂时的还是永久的?现在宣布"剧终"还为时尚早吧?

心事重重的我特意来到体育中心看佩内洛普滑冰,好让自己放松一下,也算是给她和弗雷德一个惊喜。我在弗雷德身边坐下。

在滑冰场的中间，我发现了安吉利库的身影，接着又在滑冰场外毫不意外地看见了她的头号粉丝大乔。大乔正在大声地给她加油。

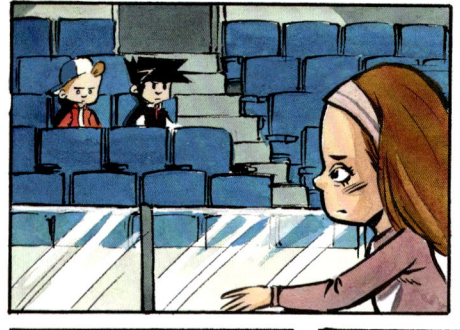

加油！安吉利库库！

一定是我的出现让她分了神，因为她的跳跃动作彻底失败。

啪

比起她的屁股，受伤更多的应该是她的自尊心。我更愿意欣赏佩内洛普滑冰。

眼前的场景，给我一种似曾相识的感觉……

就在这一刻，我全都明白了！在我的脑海中，佩内洛普冰上旋转的身影，与弗丽斯小姐的身影重叠在一起！

难怪她们从来不会在同一时间、同一地点出现，也难怪我一提到弗丽斯小姐，佩内洛普就会摆出一副嫉妒的模样——就是为了防止别人怀疑！

就算我再也不能做超级英雄了，以后还是可以做一名超级侦探的！结论再明显不过：佩内洛普和弗丽斯小姐根本就是同一个人！

第 5 章

训练结束,我送佩内洛普和弗雷德回家。为了节省时间,佩内洛普建议抄一条小路。

> 这是个不太谨慎的决定。

> 有超级英雄在,怕什么!

为了给自己鼓劲,我迅速换上超人服。考虑到我目前的状况,这更多的是一种造势,而不是保护。

> 你和这身超人服还真是形影不离啊?

> 对,你应该感到高兴才是。

> 这没什么值得高兴的。

这下，我觉得她演得有点儿过头了。看到她"毫不知情"的样子，我决定把事情挑明。

这时，一声垃圾桶盖在沥青路面上碎裂的声音传来，吓了我们一跳。小巷里光线昏暗，但依然能看见一只猫正朝我们跑来，是牛顿三世！它一看到我，就立刻跳进我怀里。

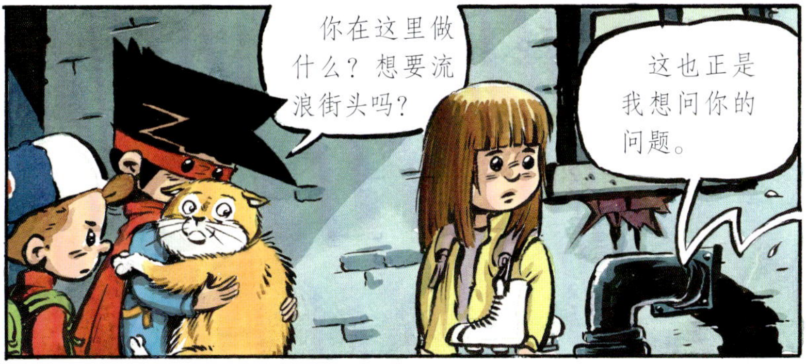
你在这里做什么？想要流浪街头吗？
这也正是我想问你的问题。

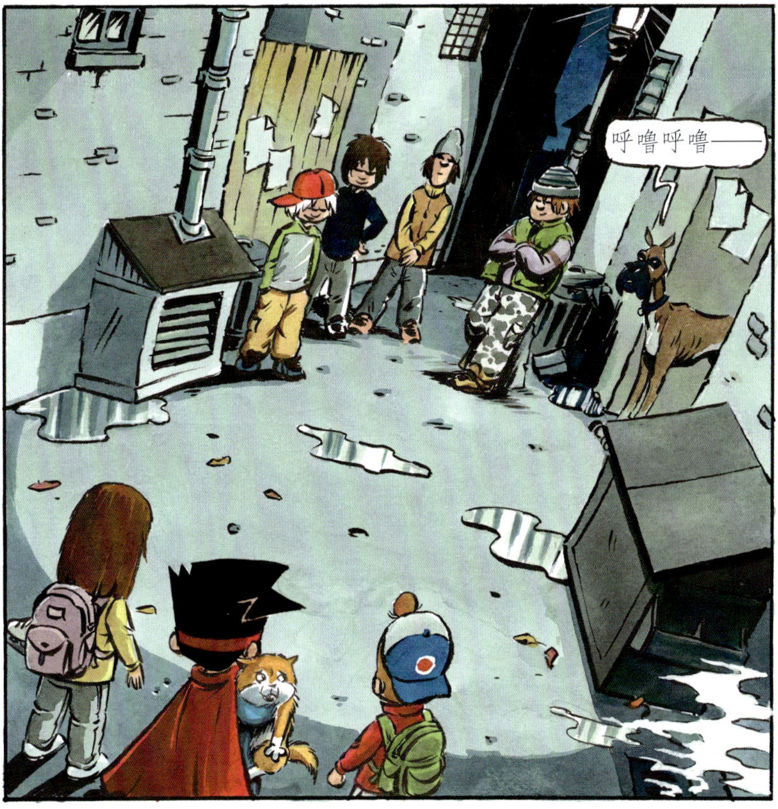
呼噜呼噜——

以我现在的状态，真是怕什么来什么。好在我的敌人还不清楚我的情况。

弗雷德也是……

有本事你们就放马过来呀！想不想尝尝静电的滋味？

别这样……

我的回答令佩内洛普震惊不已。我很恼火，不得不向她摊牌。

你明明知道我失去了超能力，无法蓄积静电。该轮到你上场了，弗丽斯小姐！

什……什么？我？弗丽斯小姐？这怎么可能！你在想什么呀？

我正要以超级侦探的身份向她解释我的推理过程，却发现自己搞错了。

真正的弗丽斯小姐突然从天而降。

弗丽斯小姐在此。

好浓的香水味。

就跟在洗衣房一样。

你来得太及时了，我们这儿情况不妙。

是的，我知道。

弗丽斯小姐毫不犹豫地朝大乔一伙走去。她很快就会腾空而起,如陀螺般优雅旋转,如闪电般制服大乔一伙,让他们乖乖给我们让路。我有没有告诉过她?我喜欢听她衣服上的飘带发出的啪嗒声。等我恢复了超能力,我们将是一对最佳组合:噼啪!啪嗒!噼啪!啪嗒!

我震惊得说不出话来。身为静电超人,我反倒像是被狠狠电了一下!

这个城市里,只有一个女孩可以这样快速旋转……她就是……

安吉利库库,要不要给他们一点儿教训?

第6章

安吉利库非常恼火——她讨厌大乔这样叫她。

> 下次你再这样叫我，小心我放狗咬你！

自从上次我让安吉利库在众目睽睽之下蒙羞，她就对我怀恨在心，于是联合大乔一伙一起来对付我。

安吉利库和弗丽斯小姐……我真是被香水熏昏了头！哪有"野兰花与香草之吻"，罗埃尔夫人和佩内洛普是对的！

> 衣物柔顺剂。

> 衣物柔顺剂。

她衣服上的飘带含有衣物柔顺剂。
没错，它消除静电的功效可是一流的。
哈哈哈！
要是穿冰鞋跳跃的话，可就难多了吧？
不，我天真的静电超人，当你出现在滑冰场时，我不想让你看穿我的身份，至少不能让你太早知道。

她是故意摔倒的。她做跳跃动作从不失误。
可惜你还达不到这个水平,我亲爱的佩内洛普。

原来她就是你所说的“弗丽斯小姐”!

这不是你的弗丽斯小姐给你的礼物吗?
没错,一个“下了毒”的礼物。还有,她不是“我的”弗丽斯小姐!

过往的场景如魔方色块一般在我的头脑中快速转动。先是大乔一伙故意在图书馆里胡作非为,设下陷阱;然后是弗丽斯小姐从天而降,给我系上友谊手环,消除了我身上的全部静电。这才是我的超能力消失的真正原因,正如超人遇上氪石……

我得赶紧把手环取下来!无奈它系得太紧,连多容纳一根手指的空间都没有。我又使劲拉扯,也没法儿把它扯断。

啪嗒

在求生欲的驱动下，牛顿三世展现出超凡的柔韧性，居然挣脱了恶狗的魔爪，还在狗脸上狠狠挠了一把。

尽管猫爪抓疼了我，但它也提醒了我。我不动声色地抬起猫爪，用锋利的爪尖割断了手环——我终于自由了！

噼啪
噼啪
噼啪
果然！之前那些被手环消除的静电，在几秒钟内全部回归。我又重新变回静电超人，而且是满负荷的静电超人！
我即将成为让整个城市摆脱静电困扰的英雄！给我上！
来得正是时候……
噼啪

我警告过你们的，弗丽斯小姐和她的跟班们！

你这副刚从洗衣机里钻出来的模样，跟衣物柔顺剂更搭了。

你好啊，飘带头！

大乔，别忘了，谁摩擦，谁……

噼啪

看来，这个城市只有一个超级英雄……

那就是我！

至于我和佩内洛普之间嘛，也恢复正常通电啦！